Garfield

DE JIM DAVIS

®

VOLUME 4

Garfield

DE JIM DAVIS

kaboom!

Dados Internacionais de Catalogação na Publicação (
(Câmara Brasileira do Livro, SP, Brasil)

Davis, Jim
    Garfield, volume 4 / Jim Davis ; traduçao Ana Cristin
Rodrigues. -- São Paulo : Nemo, 2015.

    Título original: Garfield, volume 4

    ISBN 978-85-8286-137-0

    1. Histórias em quadrinhos I. Título.

15-00110   CDD-741

Índices para catálogo sistemático:
1. Histórias em quadrinhos 741.5

CAPÍTULO UM

"O FIM DA FORÇA PET"	"A GRANDE SECA DE LASANHA"	"O CONSTRUTOR DO MAL"
ESCRITO POR	**ESCRITO POR**	**ESCRITO POR**
SCOTT NICKEL	**MARK EVANIER**	**MARK EVANIER**
DESENHOS POR	**DESENHOS POR**	**DESENHOS POR**
GARY BARKER	**ANDY HIRSCH**	**GARY BARKER**
COM **MARK & STEPHANIE HEIKE**	**CORES POR**	COM **MARK & STEPHANIE HEIKE**
CORES POR	**LISA MOORE**	**CORES POR**
LISA MOORE		**LISA MOORE**

CAPÍTULO DOIS

"FERIADO DERRETIDO"	"JON ARBUCKLE, O ATRASADO"
ESCRITO POR	**ESCRITO POR**
MARK EVANIER	**MARK EVANIER**
DESENHOS POR **CORES POR**	**DESENHOS POR**
ANDY HIRSCH **JOSH ULRICH**	**COURTNEY BERNARD**

CAPÍTULO TRÊS

"APRENDIZ DE BICHANO"	"QUEBRANDO RECORDES!"
ESCRITO POR	**ESCRITO POR**
MARK EVANIER	**MARK EVANIER**
DESENHOS POR **CORES POR**	**DESENHOS POR**
ANDY HIRSCH **LISA MOORE**	**GENEVIEVE FT**

CAPÍTULO QUATRO

"LILI DA LIMONADA"	"POR JON ARBUCKLE"
ESCRITO POR	**ESCRITO POR**
MARK EVANIER	**MARK EVANIER**
DESENHOS POR **CORES POR**	**DESENHOS POR** **CORES POR**
ANDY HIRSCH **LISA MOORE**	**ANDY HIRSCH** **LISA MOORE**

LETRAS POR
STEVE WANDS

CAPA POR
GARY BARKER & DAN DAVIS
CORES POR LISA MOORE

EDITORES ORIGINAIS
CHRIS ROSA & SHANNON WATTERS

GARFIELD CRIADO POR

JIM DAVIS

AGRADECIMENTOS ESPECIAIS A SCOTT NICKEL, DAVID REDDICK E TODO O TIME DA PAWS, INC.

EDIÇÃO
Wellington Srbek

TRADUÇÃO
Ana Cristina Rodrigues

REVISÃO
Eduardo Soares
Lúcia Assumpção
Renata Silveira

LETRAMENTO
Cleber Campos

A **NEMO** É UMA EDITORA DO **GRUPO AUTÊNTICA**

São Paulo
Av. Paulista, 2.073, Conjunto Nacional,
Horsa I, 23º andar, Conj. 2301
Cerqueira César . 01311-940
São Paulo . SP
Tel.: (55 11) 3034 4468

Televendas: 0800 283 13 22
www.editoranemo.com.br

Belo Horizonte
Rua Aimorés, 981, 8º andar
Funcionários . 30140-071
Belo Horizonte . MG
Tel.: (55 31) 3214 5700

CAPÍTULO 1

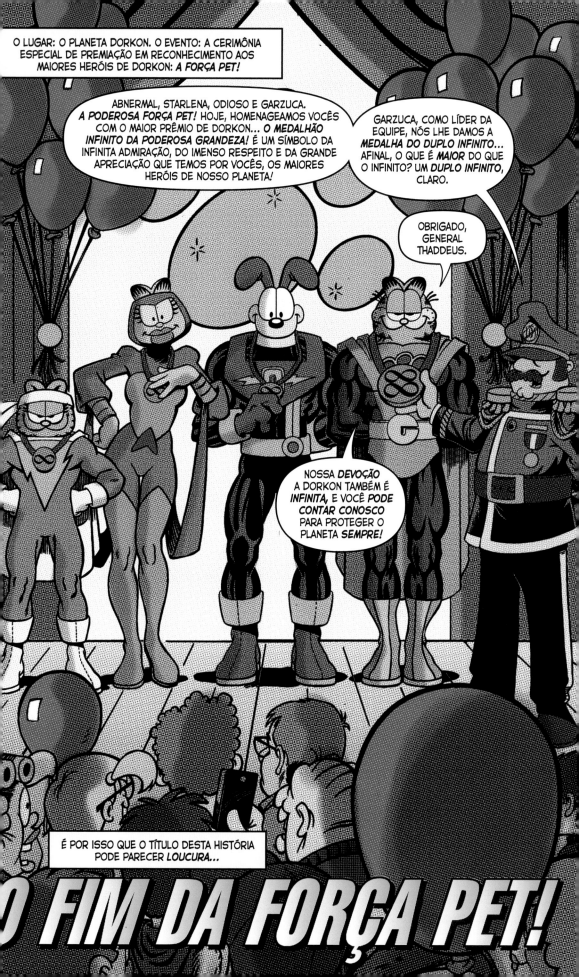

O LUGAR: O PLANETA DORKON. O EVENTO: A CERIMÔNIA ESPECIAL DE PREMIAÇÃO EM RECONHECIMENTO AOS MAIORES HERÓIS DE DORKON: *A FORÇA PET!*

ABNERMAL, STARLENA, ODIOSO E GARZUCA. *A PODEROSA FORÇA PET!* HOJE, HOMENAGEAMOS VOCÊS COM O MAIOR PRÊMIO DE DORKON... *O MEDALHÃO INFINITO DA PODEROSA GRANDEZA!* É UM SÍMBOLO DA INFINITA ADMIRAÇÃO, DO IMENSO RESPEITO E DA GRANDE APRECIAÇÃO QUE TEMOS POR VOCÊS, OS MAIORES HERÓIS DE NOSSO PLANETA!

GARZUCA, COMO LÍDER DA EQUIPE, NÓS LHE DAMOS A *MEDALHA DO DUPLO INFINITO...* AFINAL, O QUE É *MAIOR* DO QUE O INFINITO? UM *DUPLO INFINITO*, CLARO.

OBRIGADO, GENERAL THADDEUS.

NOSSA *DEVOÇÃO* A DORKON TAMBÉM É *INFINITA*, E VOCÊ *PODE CONTAR CONOSCO* PARA PROTEGER O PLANETA *SEMPRE!*

É POR ISSO QUE O TÍTULO DESTA HISTÓRIA PODE PARECER *LOUCURA...*

O FIM DA FORÇA PET!

OBRIGADO, POVO DE *DORKON!*

VOCÊS SÃO *DEMAIS!*

FORÇA PET! POSSO TIRAR UMA *FOTO* DE VOCÊS PARA O JORNAL DE DORKON?

CLARO!

SORRIAM!

EI, *SR. DUPLO INFINITO,* BELA MEDALHA. PRINCIPALMENTE POR ELA SER O *DOBRO* DAS NOSSAS! É PARA *COMBINAR* COM O SEU *EGO GIGANTE?*

O QUE VOCÊ DISSE?

VOCÊ ME *OUVIU.* QUE TAL UMA *TROCA?*

É MAIS FÁCIL EU VIRAR UM **SUPERVILÃO** DO QUE TRABALHAR COM **TELEMARKETING!**

...*O CRIME* AUMENTOU *DRASTICAMENTE* DESDE QUE A FORÇA PET *SE DESFEZ*, E AS AUTORIDADES DE DORKON ESTÃO *TEMEROSAS* DO QUE PODE ACONTECER SE ALGUM *VILÃO* USAR ESSA OPORTUNIDADE PARA FAZER O MAL...

EI, SENHOR. VOCÊ NÃO *ERA* O *GARZUCA?*

DORKON *PRECISA* DA FORÇA PET. QUEM MAIS PODE *IMPEDIR* OS *MALVADOS?*

QUEM MESMO? *OBRIGADO,* PEQUENO CIDADÃO, POR ME AJUDAR A VER O MEU *ERRO.* E POR ME *SALVAR* DE UMA *TERRÍVEL CARREIRA* NO *TELEMARKETING!*

GARZUCA *REUNIU* OS SEUS *EX-COLEGAS DE EQUIPE* NO QUARTEL-GENERAL DA FORÇA PET...

OBRIGADO A TODOS POR TEREM *RESPONDIDO* MEU CHAMADO. VOU DIRE-TO *AO PONTO.*

PRIMEIRAMENTE, EU *MENTI.* NÓS *NÃO* GANHAMOS NA *LOTERIA.* FOI APENAS UMA DISTRAÇÃO PARA TRAZÊ-LOS ATÉ AQUI.

CONTINUANDO, *DORKON PRECISA* DE NÓS. DEVEMOS VOLTAR A SER A FORÇA PET.

MAS EU AINDA *ODEIO* REALMENTE VOCÊS.

EU TAMBÉM.

ASSIM COMO EU.

IAU!

ESTAMOS *AO VIVO* COM UM NOTICIÁRIO EXTRA: *REVOLTAS* ESTÃO ACONTECENDO POR TODA A CIDADE *EM BANCOS E JOALHERIAS,* ONDE MULTIDÕES DE CIDADÃOS APARENTEMENTE COMUNS ESTÃO AGINDO *COM VIOLÊNCIA.*

TESTEMUNHAS DESCREVEM OS REVOLTOSOS COMO *ZANGADOS E CHEIOS DE ÓDIO...*

ÓDIO?

FOI COMO NOS SENTIMOS DE REPENTE, AO DESMANCHAR A FORÇA PET...

EQUIPE, ACHO QUE FOMOS MANIPULADOS POR ALGUÉM. ALGUÉM QUE QUER A FORÇA PET *FORA DO CAMINHO.*

ALGUÉM QUE USOU O *ÓDIO* PARA NOS VIRAR UNS *CONTRA OS OUTROS E BRIGAR.*

?

??

GARZUCA, NÃO SEJA UM *HATER!* ESSE É O *MEU* TRABALHO... E MEU *NOME!*

LEMBRAM DA *ENTREGA DO PRÊMIO?* EU OS ATINGI COM MEU *GERADOR DE ÓDIO...*

...DO MESMO JEITO QUE VENHO *ATINGINDO* AS *MENTES FRACAS* DO POVO DE DORKON! E ASSIM QUE OS BANCOS E JOALHERIAS ESTIVEREM *DESMANTELADOS,* IREI ENTRAR E COLETAR MEU *PAGAMENTO!* *AH, COMO É BOM SER MAU!*

ÓDIO GERA *ÓDIO.* MESMO O ÓDIO DE UMA CRIANÇA POR *BRÓCOLIS E VAGEM...* EU *ABSORVO* ISSO E *TRANSFORMO* EM *PURA ENERGIA!*

TODA VEZ QUE USO O GERADOR DE ÓDIO, ELE FICA *MAIS FORTE.* ELE SE *ALIMENTA* DE EMOÇÕES SOMBRIAS E PODEROSAS.

EI, ISSO PARECE *FAMILIAR.* ACHO QUE OUVI FALAR SOBRE ALGO PARECIDO *HÁ MUITO TEMPO,* EM UMA *GALÁXIA MUITO, MUITO DISTANTE.*

HA! MUITO ENGRAÇADO, ABNERMAL... MAS VOCÊ NÃO ACREDITARIA EM QUANTA *ENERGIA NEGATIVA* MEU GERADOR DE ÓDIO *ABSORVEU* DE FÃS QUE SIMPLESMENTE *DETESTARAM* AS *PREQUELS* DE UMA CERTA FRANQUIA QUE RIMA COM *QUEDA DAS OVELHAS...*

MAS CHEGA DESSA *DIGRESSÃO.* SE QUEREM *LUTAR* COMIGO, VENHAM ME *PEGAR.*

NOSSO *SISTEMA DE RASTREAMENTO GLOBAL* SINALIZOU A LOCALIZAÇÃO DO HATER. ELE ESTÁ NO TOPO DAS *DORKON TOWERS.*

OOOH... TEM UMA *LOJA DE SAPATOS FABULOSA* LÁ. E ACHO QUE ESTÁ TENDO UMA *GRAND LIQUIDAÇÃO.*

MAS AGORA PRECISAMOS *FUGIR!*

O QUÊ? MAS *JÁ ESTÃO INDO?* TENHO VÁRIAS *PROVOCAÇÕES DE BATALHA DE VILÃO MALVADO* E NEM PUDE USÁ-LAS!

DE VOLTA AO QUARTEL-GENERAL DA FORÇA PET...

DEVE HAVER *ALGUM* JEITO DE *CONTER* TODO AQUELE *ÓDIO*, DE IMPEDI-LO.

TALVEZ AMOR...?

TALVEZ. MAS ACHO QUE VAMOS PRECISAR DE ALGO *MAIS FORTE.* O QUE TODO *MUNDO AMA?*

GATINHOS!!

SIM! FOTOS DE BEBÊS GATINHOS FOFOS!

COMPOOKY, PROCURE NA INTERNET TODAS AS FOTOS DE GATINHOS FOFOS DO UNIVERSO.

SIM, GARZUKA, PARÂMETROS DE BUSCA DEFINIDOS. *PROCURANDO...*

E É TUDO CULPA *SUA!* VOCÊ ME FORÇOU A ISSO!

ESPERO QUE FIQUE FELIZ *QUANDO VIR O QUE CAUSOU!*

E FOI COM ESSE TOM DE HORROR EM SUA VOZ...

...QUE GARFIELD COMEÇOU UM VIGOROSO PROGRAMA PARA PERDA DE PESO.

GUARDEM BEM ESSAS IMAGENS! VOCÊS PODEM NUNCA MAIS VÊ-LAS.

ATÉ QUE, DIAS DEPOIS...

EU CONSE-GUI, ODIE! EU CONSEGUI! DOIS QUILOS!

VAMOS MOSTRAR O NOVO *EU* PARA LIZ E FAZER COM QUE ELA DESFAÇA A PROIBIÇÃO!

POUCO DEPOIS, NA CASA DE LIZ...

TOC TOC

HUM? QUEM PODE SER, COM ESSA BATIDA TÃO FRACA NA MINHA PORTA?

GARFIELD! O QUE HOUVE? VOCÊ PARECE TÃO CANSADO! ESTÁ DOENTE?

VOCÊ... VOCÊ PARECE TER *PERDIDO PESO!* COMO VOCÊ CONSEGUIU ISSO?

FAZENDO ALGO CONTRA A MINHA VONTADE!

VOCÊ *PERDEU!* EU POSSO ATÉ *LEVANTAR VOCÊ!*

VOCÊ SEMPRE PÔDE! MAS ANTES PRECISAVA DE UMA *EMPILHADEIRA.*

MINUTOS DEPOIS...

ISSO *MESMO, VITO!* PODE VOLTAR A SERVIR LASANHA PARA O GARFIELD!

OH, OBRIGADO, DRA. WILSON! SÃO EXCELENTES NOTÍCIAS! *ARRIVEDERCI!*

MEU RISTORANTE! ESTÁ *SALVO!* TENHO MEU MELHOR CLIENTE DE VOLTA!

VAMOS PODER COMER DE NOVO! VOU PODER TIRAR OS SAPATOS DA MINHA MÃE DO PENHOR!

URRAH!

PEGUEI! VAMOS!

E LOGO A MESA DE JANTAR DA CASA DE JON ESTAVA CHEIA...

OK, ODIE! VAMOS DIVIDIR! *EU* COMO A LASANHA E *VOCÊ* LAMBE O QUE RESTAR NAS EMBALAGENS...

...ISSO É, SE EU DEIXAR ALGUMA COISA NELAS...

AH, NÃO! VOCÊ NÃO VAI COMER NENHUMA LASANHA ATÉ PERDER PESO E *PONTO FINAL!*

LIZ NÃO LIGOU PARA VOCÊ? EU *PERDI* PESO!

VEJA COMO ESTOU *ESBELTO!*

...E O ENCONTRARAM...

GASP!

EU NÃO ACREDITO NISSO! *EU NÃO ACREDITO NISSO!*

JON! COMO VOCÊ PÔDE FAZER UMA COISA DESSAS?

AH, MAS A LASANHA DO VITO É *TÃO* DELICIOSA...

BEM, QUANDO ELE ESTÁ CERTO, ELE ESTÁ CERTO!

JON, VOCÊ DEVE TER ENGORDADO UNS DOIS QUILOS! VOCÊ SABE O QUE ISSO SIGNIFICA!

APARENTEMENTE, JON SABIA, SIM, O QUE AQUILO SIGNIFICAVA...

...SIGNIFICAVA ISTO...

GASP! ARF! QUANDO POSSO PARAR?

VOCÊ SÓ PERDEU UM TERÇO DE UMA LASANHA! AINDA FALTAM DEZESSETE E DOIS TERÇOS!

PERDOEI JON POR DOIS MOTIVOS! UM, EU ENTENDO POR QUE ELE FEZ ISSO...

...E DOIS, VITO ENTREGOU OUTRA LEVA! MINHA OFERTA PARA LAMBER A EMBALAGEM CONTINUA!

FIM

...COM O RAIO EXPRESSO ANTÁRTICO!

BWOOOOOOP

COM POUCO TEMPO A PERDER, GARZUCA LANÇA UM RAIO NO HOMEM...

...E, EM SEGUNDOS, ELE SOME...

PARA ONDE ELE FOI?

EU O TRANSPORTEI PARA A *ANTÁRTIDA*... UM LUGAR GELADO NO PLANETA TERRA! ELE NÃO VAI MAIS NOS INCOMODAR!

NÃO... MAS *OUTROS VIRÃO*! ODIOSO ACABOU DE ACHAR ISSO ONLINE.

ALGUÉM VENDEU O NOSSO ENDEREÇO PARA UMA ASSOCIAÇÃO DE CONSTRUTORES! TODOS ELES IRÃO *CAIR EM CIMA* DE NÓS E TENTAR NOS CONVENCER A FAZER REFORMAS DE QUE NÃO PRECISAMOS!

E QUAL O PROBLEMA? ALGUNS CONSTRUTORES SÃO PESSOAS LEGAIS!

NÃO OS QUE LIGAM DIA E NOITE E QUE APARECEM DO NADA NA SUA PORTA!

ESPEREM! E QUANTO AO *OUTRO* CONSTRUTOR?

TEMOS QUE IMPEDI-LOS!

TODOS NÓS DEVEMOS ANDAR COM O *RAIO EXPRESSO ANTÁRTICO!*

YIP! YIP!

AQUELE QUE É UM *SUPERVILÃO?*

ELES ESTÃO PREOCUPADOS DEMAIS COM AS LIGAÇÕES DOS CONSTRUTORES *NORMAIS!*

PARECE QUE SOBROU PARA *MIM* IMPEDIR AQUELE QUE TEM UM CONTRATO PARA *DESTRUIR O MUNDO!*

LOGO, A FORÇA PET ESTÁ SOB ATAQUE – MAS NÃO (REPETINDO: NÃO) DO VILÃO QUE ELES TEMIAM ORIGINALMENTE...

LUGAR BACANA QUE VOCÊ TEM AQUI! MAS FICARIA AINDA MELHOR COM LATERAIS DE ALUMÍNIO...

...TALVEZ ALGUNS AZULEJOS PORTU-GUESES...

OH, NÃO! OUTRO CONSTRUTOR!

NOOOOOP

...ELES VINHAM DE TODAS AS DIREÇÕES...

BELA COZINHA VOCÊ TEM AQUI... MAS EU PODERIA COLOCAR UMA NOVA BANCADA FEITA COM UM MATERIAL DE QUE VOCÊ NUNCA OUVIU FALAR...

BELA TENTATIVA! MAS A FORÇA PET É *RÁPIDA DEMAIS* PARA A SUA LAIA!

CAPÍTULO 2

O VERÃO TEM SIDO CASTIGANTE, E FICA CADA VEZ MAIS QUENTE...

QUENTE! *MUITO QUENTE!* CARA, COMO ESTÁ *QUENTE!* QUE DIA QUENTE! ESTÁ *TÃO QUENTE!* QUENTE ESTOU! *MUITO QUENTE!* QUENTE COMO NO DESERTO! QUENTE DE DERRETER! NOSSA, COMO *ESTÁ QUENTE!*

PARA NOSSOS LEITORES QUE FALAM ESPANHOL: ¡HACE CALOR!

GEMIDO!

NÃO ESTÁ PARECENDO NEM UM POUCO QUE É NATAL NA VIZINHANÇA DO GARFIELD – MAS NOSSOS AMIGOS ESTÃO VIVENDO UM...

FERIADO DERRETIDO

QUANDO O *CARRO DO SORVETE* VAI PASSAR POR AQUI? PRECISO MUITO DE SORVETE!

MÁS NOTÍCIAS, NERMAL! ELE *DERRETEU!*

...GARFIELD E ODIE TENTAVAM SE REFRESCAR.

AHH... EU FINALMENTE ENCONTREI UM LUGAR CONFORTÁVEL PARA DORMIR...

...CLARO QUE NÃO DÁ PARA SABER O QUANTO VAI DURAR...

GARFIELD, O CARTEIRO DEIXOU POR ENGANO UMA CARTA QUE É PARA UM DOS VIZINHOS...

R.L. PAYNE

POR QUE VOCÊ ESTÁ DEITADO NUMA POÇA D'ÁGUA?

PORQUE ESTÁ FAZENDO UM MILHÃO DE GRAUS, POR ISSO!

VOCÊ PODE LEVAR ISSO PARA O SR. PAYNE LÁ NA ESQUINA?

NÃO, NÃO, NÃO, NÃO, NÃO, NÃO, NÃO, NÃO, NÃO, NÃO, NÃO, NÃO, NÃO, NÃO, NÃO E NÃO!

NESSA ORDEM!

E VOCÊ FIZER ISSO, DEIXO VOCÊ [CO]MER UMA LASANHA CONGELADA, SEM *DESCONGELAR!*

VOLTO EM CINCO MINUTOS!

NÃO A TIRE DO CONGELADOR, OU VAI COZINHAR EM CIMA DA PIA!

MOMENTOS DEPOIS...

VOU CONSIDERAR ESTA A MINHA BOA AÇÃO DO ANO!

PELO MENOS ELE VAI FICAR CONTENTE EM ME VER!

VÁ EMBORA!

NÃO LIGO PRO QUE VOCÊ QUER! ODEIO VISITAS!

ODEIO *TUDO* E *TODOS!*

BLAM!

TUDO?

COMO ALGUÉM PODE ODIAR *TUDO?*

O CONCEITO CONFUNDIU GARFIELD...

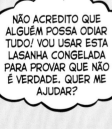

ELE DECIDIU TESTAR SEU CONCEITO...

NÃO ACREDITO QUE ALGUÉM POSSA ODIAR TUDO! VOU USAR ESTA LASANHA CONGELADA PARA PROVAR QUE NÃO É VERDADE. QUER ME AJUDAR?

IAU! IAU!

VAMOS, ODIE! VAMOS ENCONTRAR ALGO DE QUE O SR. GENIOSO *VAI* GOSTAR!

HUMMM! A LASANHA ESTAVA COZIDA DEMAIS, MAS DELICIOSA!

QUATORZE MINUTOS DEPOIS....

BATE-BATE-BATE!

QUEM SERÁ *DESTA VEZ?*

EU DE NOVO! COM CERTEZA VOCÊ NÃO PODE NÃO AMAR ESTA FLOR! TODO MUNDO AMA *FLORES BONITAS!*

EU... ODEIO... FLORES!

BLAM! EM DOBRO!

CERTO, ENTÃO ELE NÃO GOSTA DE FLORES...

DEVE HAVER ALGO NESTE MUNDO DE QUE AQUELE HOMEM GOSTE...

CLARO! É ISSO!

ESTAVA NA FRENTE DOS MEUS OLHOS DE GATO ESSE TEMPO TODO!

BATE-BATE-BATE!

É MELHOR NÃO SER AQUELE GATO DE NOVO!

ISSO MESMO! É UM *ADORÁVEL CACHORRINHO!*

TODOS ADORAM VER *UM CACHORRINHO ADORÁVEL* BRINCANDO AO SOL!

BRINQUE AO SOL, *ADORÁVEL CACHORRINHO!*

AHEM!

ODEIA CACHORRINHOS ADORÁVEIS!??? COMO ALGUÉM PODE ODIAR CACHORRINHOS ADORÁVEIS? É RIDÍCULO! É INCONCEBÍVEL! É HUMANAMENTE IMPOSSÍVEL!

TAMBÉM ODEIO GATINHOS FOFOS COMO AQUELE!

AH, BEM... ISSO EU POSSO ENTENDER.

BLAM BLAM!

EU DESISTO, ODIE! ACHO QUE ESSE CARA REALMENTE ODEIA TUDO E TODOS!

VAMOS VER SE ENCONTRAMOS UMA PISCINA CUJA ÁGUA AINDA NÃO TENHA EVAPORADO TODA...

ACHO QUE ALGUMAS PESSOAS SÃO ASSIM MESMO... TÃO ABORRECIDAS COM ALGUMA COISA QUE PERDEM O SENSO DE HUMOR E A ALEGRIA...

EU SÓ PENSEI QUE PODERIA TER ALGUMA COISA QUE AGRADARIA AQUELE HOMEM... ALGUMA COISA QUE...

PARA LIZ E GARFIELD, A GOTA D'ÁGUA FOI EM UM DOMINGO...

TEMOS QUE IR LOGO, JON! PETER DISSE PARA ESTARMOS LÁ NO CHURRASCO ÀS 13H, E JÁ SÃO QUASE 14H!

SÓ VOU MUDAR DE BLUSA E VAMOS!

RÁPIDO!

NESTE EXATO MOMENTO, PETER ESTÁ ASSANDO *COSTELAS* E *FRANGO* E *CARNE* E *MAIS COSTELAS* E *MAIS FRANGO!*

SÓ VOU ESCOVAR OS DENTES E VAMOS!

JON, SÃO MAIS DE 14H!

XÔ FOU LEFAR O IXO Á FORA E VAMOX!

COSTELAS!

SÓ PRECISO ENCONTRAR AS CHAVES DO CARRO E AÍ VAMOS!

NÃO SE PREO-CUPEM! TENHO CERTEZA DE QUE O PETER ESTÁ GUARDANDO COMIDA PARA NÓS!

CAPÍTULO 3

VOCÊS SABIAM ANTES DE VIRAR A PÁGINA QUE EU IA AJUDÁ-LO!

CERTO, CALLOWAY! EU VOU DAR A VOCÊ *ALGUNS CONSELHOS* SOBRE COMO VIVER BEM!

VAMOS COMEÇAR COM COMO LIDAR COM *COISAS IRRITANTES!*

VOCÊ... VOCÊ VAI *ME* AJUDAR?

CLARO... POR QUE NÃO? MAS PRIMEIRO VAMOS PRECISAR DE ALGO *REALMENTE IRRITANTE* PARA USAR NESTA LIÇÃO...

E AÍ, GARFIELD? QUEM É O SEU AMIGO? ELE SABE QUE SOU *NERMAL,* O FELINO MAIS FOFO DE *TODO* O *PLANETA?*

TALVEZ DE TODO O *SISTEMA SOLAR?*

PERFEITO.

EXATAMENTE! E NÃO ESTOU MAIS PREOCUPADO COM *GARFIELD* PORQUE CONSEGUI QUE ELE ME PROMETESSE *NÃO* ME DESPACHAR PARA *ABU DHABI* PELO RESTO DO MÊS!

DESCULPE-ME, EXEMPLO IRRITANTE!

CALLOWAY... O SEGREDO PARA LIDAR COM ESSES ABORRECIMENTOS É *NÃO DEIXÁ-LOS ABORRECER VOCÊ!* ENTENDEU?

ACHO QUE SIM. MAS... *COMO?*

VEJA COMO EU LIDO COM ISSO!

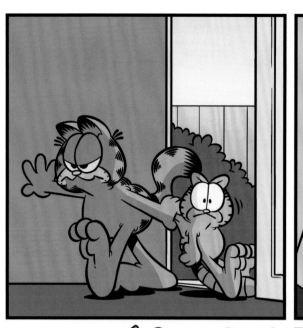

MAS VOCÊ PROMETEU...

E SEMPRE CUMPRO AS MINHAS PROMESSAS!

LAÇO

NÓ

LAÇO LAÇO LAÇO

NÓ

NÓ

LAÇO

"PARA O *MÉXICO.* *NÃO* TOME CUIDADO."

EU NÃO PROMETI NÃO MANDÁ-LO PARA *LÁ!*

VOCÊ VIU, CALLOWAY... O TRUQUE É USAR A CABEÇA!

MAS EU JAMAIS TERIA PENSADO NISSO! E BRUNO... ELE É MAIOR E MAIS FORTE DO QUE JAMAIS SEREI!

ELE É MAIOR DO QUE EU JAMAIS SEREI TAMBÉM, EXCETO NA BARRIGA!

É POR ISSO QUE EU *NÃO* BRIGO COM O CARA! NÃO POSSO VENCER NUMA BRIGA! MAS *POSSO SER MAIS ESPERTO!*

FIM

QUEBRANDO RECORDES!

E AÍ, GARFIELD?

QUIETO, NERMAL! ESTOU ASSISTINDO AO ÚLTIMO EPISÓDIO DE UM DOS MEUS PROGRAMAS DE TV FAVORITOS, *"SHOW DO LIVRO FINO DOS RECORDES MUNDIAIS"*!

NÃO DIGA NADA PELOS PRÓXIMOS TRINTA OU QUARENTA ANOS!

E AGORA, O NOSSO APRESENTADOR... *HARVEY FINO!*

APLAUSOS! APLAUSOS! APLAUSOS!

BOA NOITE, SENHORAS E SENHORES! BEM-VINDOS AO NOSSO ÚLTIMO EPISÓDIO!

HOJE, ANTES DE NOS DESPEDIRMOS DEFINITIVAMENTE, VAMOS MOSTRAR A VOCÊS PESSOAS QUE ESTABELECERAM ALGUNS DOS MAIORES *RECORDES MUNDIAIS...*

...COMO SAM ENTWHISTLE, QUE ESTABELECEU O *RECORDE MUNDIAL DE COMER GELADEIRAS* POR TER COMIDO UMA GELADEIRA!

PRECISAVA DE KETCHUP! E DE DESCONGELAR!

UMA VEZ, PENSEI EM COMER A GELADEIRA, MAS FIQUEI PREOCUPADO. E SE TIVESSE SOBRAS, ONDE EU IRIA GUARDÁ-LAS?

ISSO É CHATO!

...E AQUI ESTÁ O NOSSO *PRÓXIMO RECORDE...*

ESTA É ABIGAIL FUNNYNAME, DE OITO ANOS, DETENTORA DO RECORDE MUNDIAL DE QUICAR BOLINHA DE BORRACHA...

QUICA-QUICA-QUICA BOLINHA!

QUICA-QUICA-QUICA BOLINHA!

E AQUI ESTÃO SEUS PAIS, QUE DIVIDEM O RECORDE MUNDIAL DE GRITAR DIA E NOITE!

FAÇAM ELA PARAR! FAÇAM ELA PARAR! FAÇAM ELA PARAR!

NÃO AGUENTO MAIS OUVIR ISSO! "QUICA-QUICA-QUICA BOLINHA!" ESCUTO ATÉ DORMINDO!

ISSO É QUASE TÃO DIVERTIDO QUANTO ASSISTIR IOGURTE COALHAR! *VOU EMBORA!*

SEMPRE UMA BOA IDEIA.

OPA...

E AGORA, TEMOS O RECORDE MUNDIAL DE *FOFURA* NA *CATEGORIA FELINA!*

FIM

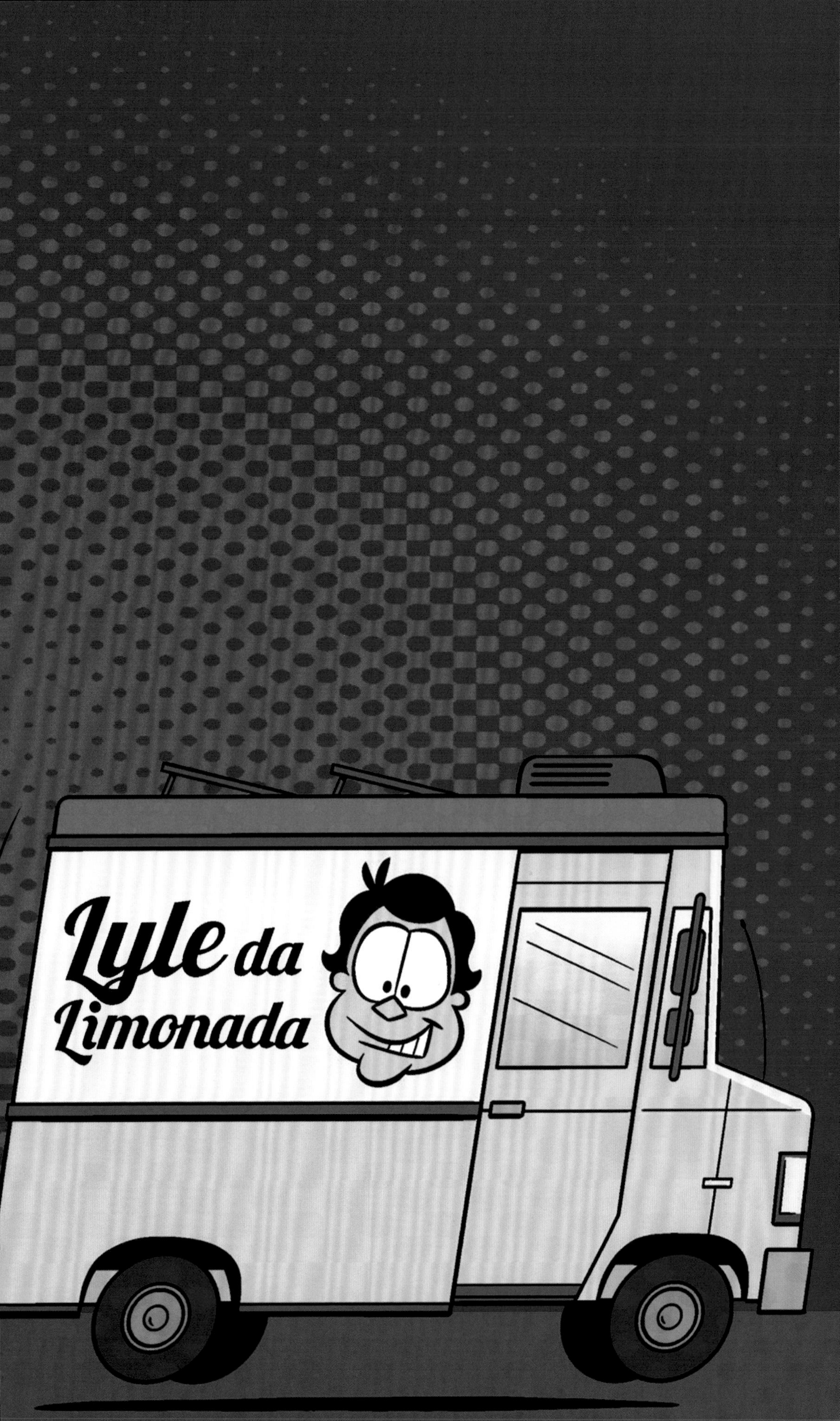
Lyle da
Limonada

CAPÍTULO 4

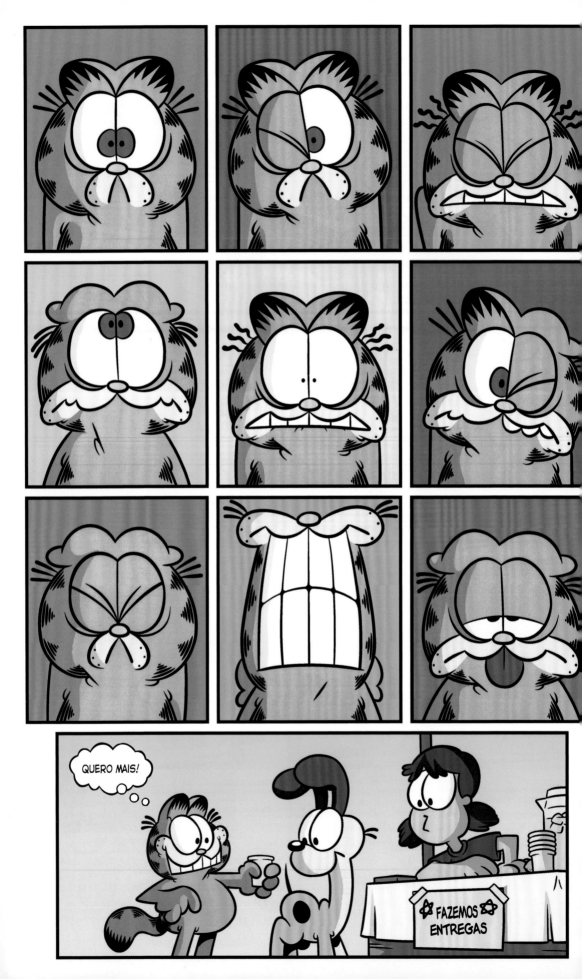

CHEGA *PARA LÁ*, MOCINHA!

EI*!*

AH, DEVE SER A LIMONADA QUE EU PEDI! ME DÁ! ESTOU COM *TANTA* SEDE!

AGORA MESMO, SENHORA...

NÃO É JUSTO! TUDO O QUE EU QUERIA ERA COMPARTILHAR A MINHA LIMONADA COM O MUNDO!

DEIXE COM O GATO!

POR QUE VOCÊ ESTÁ COLOCANDO A *MINHA* LIMONADA EM UMA DAS GARRAFAS DO LYLE?

VOCÊ VAI VER.

AQUI ESTÁ! SEI QUE VOCÊ VAI AMAR!

EI, DEVOLVA ISSO AQUI, GATO!

GL

PTUI!

UAU! ELA MAL CONSEGUIU DAR *MEIO GOLE!*

VOCÊ FAZ A *PIOR* LIMONADA DO MUNDO! A DA GAROTINHA É *MUITO MELHOR!*

MELHOR QUE A *MINHA?* EU VOU ACABAR COM ELA! VOU FAZÊ-LA SAIR DO NEGÓCIO! *VOU PROCESSÁ-LA!*

VOCÊ PODE FAZER ISSO! *OU PODEMOS FAZER NEGÓCIOS JUNTOS!* EU FAÇO, VOCÊ VENDE! *UMA SOCIEDADE!*

EI, ISSO PODE FUNCIONAR! VOCÊ ACABOU DE CONSEGUIR UM *SÓCIO*, MOCINHA! QUAL É O SEU SEGREDO? ÓXIDO DE MAGNÉSIO? LECITINA DE SOJA?

NÃO TEM *SEGREDO!* É ÁGUA, AÇÚCAR E LIMÕES!

LIMÕES, HEIN? AQUELAS FRUTAS PEQUENAS E REDONDAS, CERTO?

VAMOS, ODIE! ACABAMOS DE MELHORAR MUITO A QUALIDADE DA *LIMONADA* NO MUNDO!

VAMOS VER SE CONSEGUIMOS O MESMO COM AQUELA *LASANHA HORROROSA DE MICRO-ONDAS!*

FIM

AH, OLÁ! VIERAM NA HORA CERTA! ACABEI DE TERMINAR A PÁGINA QUE VOCÊ ESTAVA LENDO!

ISSO MESMO! AQUELA HISTÓRIA FOI ESCRITA E DESENHADA POR *MIM!*

TUDO! ESCREVI, DESENHEI, BALONEI! ATÉ A COLORI! É UMA PRODUSSÃO 100% *JON ARBUCKLE!*

POR JON ARBUCKLE

COMO VOCÊS DEVEM TER PERCEBIDO, NÃO TENHO FEITO MUITO NAS HISTÓRIAS ULTIMAMENTE... E POR MIM NÃO HÁ PROBLEMA!

AFINAL, A REVISTA NÃO SE CHAMA *JON ARBUCKLE!* APESAR DE QUE DEVERIA!

ESTOU BRINCANDO! NA VERDADE, TENHO ORGULHO DE FAZER PARTE DO MUNDO DO GARFIELD! E, NA VERDADE, TENHO MUITO A VER COM O SUCESSO DELE, AFINAL EU...

RIIING!

OH! COM LICENÇA, UM MINUTO!

O TELEFONE ESTÁ SEMPRE TOCANDO AQUI! PRECISO ARRUMAR UMA SECRETÁRIA!

ALÔ? SIM, AQUI É *JON ARBUCKLE!*

EXATAMENTE! *JON ARBUCKLE,* O CARTUNISTA MUNDIALMENTE FAMOSO! COMO POSSO LHE AJUDAR?

NÃO ACREDITO QUE ESTOU FALANDO DE VERDADE COM JON ARBUCKLE! NÓS SOMOS A REGIONAL DE INDIANA DO FÃ CLUBE INTERNACIONAL JON ARBUCKLE...

...E NÓS SÓ QUEREMOS QUE VOCÊ SAIBA O QUANTO ADORAMOS VOCÊ E TUDO O QUE VOCÊ FAZ!

QUERO FALAR COM ELE!

EU TE AMO, JON!

MOÇAS, MOÇAS... *POR FAVOR!* APRECIO ESSA PAIXÃO, MAS SOU APENAS UM CARTUNISTA BATALHADOR! E CREIO ESTAR NO MEIO DE UMA HISTÓRIA NESTE MOMENTO!

MANDEM UM ENVELOPE SELADO E COM O ENDEREÇO DE VOCÊS E MANDO UMA FOTO MINHA COM MEU AUTÓGRAFO PRÉ-IMPRESSO!

DESCULPEM! VIVO MUDANDO MEU NÚMERO DE TELEFONE, MAS DE ALGUM JEITO, NÃO SEI COMO, ESSAS MOÇAS SEMPRE CONSEGUEM O NOVO!

AGORA, ONDE ESTÁVAMOS?

SIM, CLARO! ESTAVA PRESTES A CONTAR A VOCÊS UM POUCO SOBRE...

O QUE ESTÁ ACONTECENDO AQUI? POR QUE ESSA HISTÓRIA ESTÁ TÃO ESTRANHA?

GALERIA DE CAPAS

EDIÇÃO 13 CAPA POR
GARY BARKER
COM MARK & STEPHANIE HEIKE
CORES POR LISA MOORE